2021
weekly planner

BELONGS TO:

_____

PRETTY SIMPLE PLANNERS

FIND US ON INSTAGRAM!

@prettysimplebooks

Questions & Customer Service:
Email us at prettysimplebooks@gmail.com!

Year in Review

JANUARY

Su	Mo	Tu	We	Th	Fr	Sa
					1	2
3	4	5	6	7	8	9
10	11	12	13	14	15	16
17	18	19	20	21	22	23
24	25	26	27	28	29	30
31						

FEBRUARY

Su	Mo	Tu	We	Th	Fr	Sa
	1	2	3	4	5	6
7	8	9	10	11	12	13
14	15	16	17	18	19	20
21	22	23	24	25	26	27
28						

MARCH

Su	Mo	Tu	We	Th	Fr	Sa
	1	2	3	4	5	6
7	8	9	10	11	12	13
14	15	16	17	18	19	20
21	22	23	24	25	26	27
28	29	30	31			

APRIL

Su	Mo	Tu	We	Th	Fr	Sa
				1	2	3
4	5	6	7	8	9	10
11	12	13	14	15	16	17
18	19	20	21	22	23	24
25	26	27	28	29	30	

MAY

Su	Mo	Tu	We	Th	Fr	Sa
						1
2	3	4	5	6	7	8
9	10	11	12	13	14	15
16	17	18	19	20	21	22
23	24	25	26	27	28	29
30	31					

JUNE

Su	Mo	Tu	We	Th	Fr	Sa
		1	2	3	4	5
6	7	8	9	10	11	12
13	14	15	16	17	18	19
20	21	22	23	24	25	26
27	28	29	30			

JULY

Su	Mo	Tu	We	Th	Fr	Sa
				1	2	3
4	5	6	7	8	9	10
11	12	13	14	15	16	17
18	19	20	21	22	23	24
25	26	27	28	29	30	31

AUGUST

Su	Mo	Tu	We	Th	Fr	Sa
1	2	3	4	5	6	7
8	9	10	11	12	13	14
15	16	17	18	19	20	21
22	23	24	25	26	27	28
29	30	31				

SEPTEMBER

Su	Mo	Tu	We	Th	Fr	Sa
			1	2	3	4
5	6	7	8	9	10	11
12	13	14	15	16	17	18
19	20	21	22	23	24	25
26	27	28	29	30		

OCTOBER

Su	Mo	Tu	We	Th	Fr	Sa
					1	2
3	4	5	6	7	8	9
10	11	12	13	14	15	16
17	18	19	20	21	22	23
24	25	26	27	28	29	30
31						

NOVEMBER

Su	Mo	Tu	We	Th	Fr	Sa
	1	2	3	4	5	6
7	8	9	10	11	12	13
14	15	16	17	18	19	20
21	22	23	24	25	26	27
28	29	30				

DECEMBER

Su	Mo	Tu	We	Th	Fr	Sa
			1	2	3	4
5	6	7	8	9	10	11
12	13	14	15	16	17	18
19	20	21	22	23	24	25
26	27	28	29	30	31	

January 2021

SUNDAY	MONDAY	TUESDAY	WEDNESDAY
3	4 *National Trivia Day*	5	6
10	11	12	13
17	18 MARTIN LUTHER KING JR. DAY	19	20
24 / 31	25	26	27

> Nothing is impossible, the word itself says 'I'm possible'!
> — Audrey Hepburn

THURSDAY	FRIDAY	SATURDAY	NOTES
	1 NEW YEAR'S DAY	2	
7	8	9	
14	15	16	
21 National Hug Day	22	23	
28	29 National Puzzle Day	30	

◤ MON · DECEMBER 28, 2020

_____

- ○ _____
- ○ _____
- ○ _____
- ○ _____
- ○ _____
- ○ _____
- ○ _____
- ○ _____
- ○ _____
- ○ _____
- ○ _____

◤ TUE · DECEMBER 29, 2020

_____

- ○ _____
- ○ _____
- ○ _____
- ○ _____
- ○ _____
- ○ _____
- ○ _____
- ○ _____
- ○ _____
- ○ _____
- ○ _____

◤ WED · DECEMBER 30, 2020

_____

- ○ _____
- ○ _____
- ○ _____
- ○ _____
- ○ _____
- ○ _____
- ○ _____
- ○ _____
- ○ _____
- ○ _____
- ○ _____

THU · DECEMBER 31, 2020

_____

NEW YEAR'S EVE

○ _____
○ _____
○ _____
○ _____
○ _____
○ _____
○ _____
○ _____
○ _____
○ _____
○ _____

FRI · JANUARY 1, 2021

_____

NEW YEAR'S DAY

○ _____
○ _____
○ _____
○ _____
○ _____
○ _____
○ _____
○ _____
○ _____
○ _____
○ _____

SAT · JANUARY 2, 2021

SUN · JANUARY 3, 2021

MON · JANUARY 4, 2021

_____ ○ _____
_____ ○ _____
_____ ○ _____
_____ ○ _____
_____ ○ _____
_____ ○ _____
_____ ○ _____
_____ ○ _____
_____ ○ _____
_____ ○ _____
_____ ○ _____

TUE · JANUARY 5, 2021

_____ ○ _____
_____ ○ _____
_____ ○ _____
_____ ○ _____
_____ ○ _____
_____ ○ _____
_____ ○ _____
_____ ○ _____
_____ ○ _____
_____ ○ _____
_____ ○ _____

WED · JANUARY 6, 2021

_____ ○ _____
_____ ○ _____
_____ ○ _____
_____ ○ _____
_____ ○ _____
_____ ○ _____
_____ ○ _____
_____ ○ _____
_____ ○ _____
_____ ○ _____
_____ ○ _____

THU · JANUARY 7, 2021

_____

○ _____
○ _____
○ _____
○ _____
○ _____
○ _____
○ _____
○ _____
○ _____
○ _____
○ _____

FRI · JANUARY 8, 2021

_____

○ _____
○ _____
○ _____
○ _____
○ _____
○ _____
○ _____
○ _____
○ _____
○ _____
○ _____

SAT · JANUARY 9, 2021

SUN · JANUARY 10, 2021

MON · JANUARY 11, 2021

_____

- ○ _____
- ○ _____
- ○ _____
- ○ _____
- ○ _____
- ○ _____
- ○ _____
- ○ _____
- ○ _____
- ○ _____
- ○ _____

TUE · JANUARY 12, 2021

_____

- ○ _____
- ○ _____
- ○ _____
- ○ _____
- ○ _____
- ○ _____
- ○ _____
- ○ _____
- ○ _____
- ○ _____
- ○ _____

WED · JANUARY 13, 2021

_____

- ○ _____
- ○ _____
- ○ _____
- ○ _____
- ○ _____
- ○ _____
- ○ _____
- ○ _____
- ○ _____
- ○ _____
- ○ _____

THU · JANUARY 14, 2021

_____   ○ _____
_____   ○ _____
_____   ○ _____
_____   ○ _____
_____   ○ _____
_____   ○ _____
_____   ○ _____
_____   ○ _____
_____   ○ _____
_____   ○ _____
_____   ○ _____

FRI · JANUARY 15, 2021

_____   ○ _____
_____   ○ _____
_____   ○ _____
_____   ○ _____
_____   ○ _____
_____   ○ _____
_____   ○ _____
_____   ○ _____
_____   ○ _____
_____   ○ _____
_____   ○ _____

SAT · JANUARY 16, 2021

_____
_____
_____
_____
_____
_____
_____
_____

SUN · JANUARY 17, 2021

_____
_____
_____
_____
_____
_____
_____
_____

⚑ MON · JANUARY 18, 2021 ⎯⎯⎯⎯⎯⎯⎯⎯⎯⎯⎯⎯⎯⎯⎯⎯⎯⎯⎯⎯⎯⎯⎯⎯

_____   ○ _____
_____   ○ _____
_____   ○ _____
_____   ○ _____
_____   ○ _____
_____   ○ _____
_____   ○ _____
_____   ○ _____
_____   ○ _____
_____   ○ _____
MARTIN LUTHER KING JR. DAY   ○ _____

⚑ TUE · JANUARY 19, 2021 ⎯⎯⎯⎯⎯⎯⎯⎯⎯⎯⎯⎯⎯⎯⎯⎯⎯⎯⎯⎯⎯⎯⎯⎯

_____   ○ _____
_____   ○ _____
_____   ○ _____
_____   ○ _____
_____   ○ _____
_____   ○ _____
_____   ○ _____
_____   ○ _____
_____   ○ _____
_____   ○ _____
_____   ○ _____

⚑ WED · JANUARY 20, 2021 ⎯⎯⎯⎯⎯⎯⎯⎯⎯⎯⎯⎯⎯⎯⎯⎯⎯⎯⎯⎯⎯⎯⎯⎯

_____   ○ _____
_____   ○ _____
_____   ○ _____
_____   ○ _____
_____   ○ _____
_____   ○ _____
_____   ○ _____
_____   ○ _____
_____   ○ _____
_____   ○ _____
_____   ○ _____

THU · JANUARY 21, 2021

_____   ○ _____
_____   ○ _____
_____   ○ _____
_____   ○ _____
_____   ○ _____
_____   ○ _____
_____   ○ _____
_____   ○ _____
_____   ○ _____
_____   ○ _____
_____   ○ _____

FRI · JANUARY 22, 2021

_____   ○ _____
_____   ○ _____
_____   ○ _____
_____   ○ _____
_____   ○ _____
_____   ○ _____
_____   ○ _____
_____   ○ _____
_____   ○ _____
_____   ○ _____
_____   ○ _____

SAT · JANUARY 23, 2021

_____
_____
_____
_____
_____
_____
_____
_____
_____
_____

SUN · JANUARY 24, 2021

_____
_____
_____
_____
_____
_____
_____
_____
_____
_____

MON · JANUARY 25, 2021

_____   ○ _____
_____   ○ _____
_____   ○ _____
_____   ○ _____
_____   ○ _____
_____   ○ _____
_____   ○ _____
_____   ○ _____
_____   ○ _____
_____   ○ _____
_____   ○ _____

TUE · JANUARY 26, 2021

_____   ○ _____
_____   ○ _____
_____   ○ _____
_____   ○ _____
_____   ○ _____
_____   ○ _____
_____   ○ _____
_____   ○ _____
_____   ○ _____
_____   ○ _____
_____   ○ _____

WED · JANUARY 27, 2021

_____   ○ _____
_____   ○ _____
_____   ○ _____
_____   ○ _____
_____   ○ _____
_____   ○ _____
_____   ○ _____
_____   ○ _____
_____   ○ _____
_____   ○ _____
_____   ○ _____

▰ THU · JANUARY 28, 2021

_____   ○ _____
_____   ○ _____
_____   ○ _____
_____   ○ _____
_____   ○ _____
_____   ○ _____
_____   ○ _____
_____   ○ _____
_____   ○ _____
_____   ○ _____
_____   ○ _____

▰ FRI · JANUARY 29, 2021

_____   ○ _____
_____   ○ _____
_____   ○ _____
_____   ○ _____
_____   ○ _____
_____   ○ _____
_____   ○ _____
_____   ○ _____
_____   ○ _____
_____   ○ _____
_____   ○ _____

▰ SAT · JANUARY 30, 2021

▰ SUN · JANUARY 31, 2021

february 2021

SUNDAY	MONDAY	TUESDAY	WEDNESDAY
	1	2	3
7	8	9 *National Pizza Day*	10
14 VALENTINE'S DAY	15 PRESIDENTS' DAY	16	17
21	22	23	24
28			

THURSDAY	FRIDAY	SATURDAY	NOTES
4	5	6	
11	12	13	
18	19	20 *Love Your Pet Day*	
25	26	27	

MON · FEBRUARY 1, 2021

_____ ○ _____
_____ ○ _____
_____ ○ _____
_____ ○ _____
_____ ○ _____
_____ ○ _____
_____ ○ _____
_____ ○ _____
_____ ○ _____
_____ ○ _____
_____ ○ _____

TUE · FEBRUARY 2, 2021

_____ ○ _____
_____ ○ _____
_____ ○ _____
_____ ○ _____
_____ ○ _____
_____ ○ _____
_____ ○ _____
_____ ○ _____
_____ ○ _____
_____ ○ _____
_____ ○ _____

WED · FEBRUARY 3, 2021

_____ ○ _____
_____ ○ _____
_____ ○ _____
_____ ○ _____
_____ ○ _____
_____ ○ _____
_____ ○ _____
_____ ○ _____
_____ ○ _____
_____ ○ _____
_____ ○ _____

THU · FEBRUARY 4, 2021

- ○
- ○
- ○
- ○
- ○
- ○
- ○
- ○
- ○
- ○
- ○

FRI · FEBRUARY 5, 2021

- ○
- ○
- ○
- ○
- ○
- ○
- ○
- ○
- ○
- ○
- ○

SAT · FEBRUARY 6, 2021

SUN · FEBRUARY 7, 2021

MON · FEBRUARY 8, 2021

_____

○ _____
○ _____
○ _____
○ _____
○ _____
○ _____
○ _____
○ _____
○ _____
○ _____
○ _____

TUE · FEBRUARY 9, 2021

_____

○ _____
○ _____
○ _____
○ _____
○ _____
○ _____
○ _____
○ _____
○ _____
○ _____
○ _____

WED · FEBRUARY 10, 2021

_____

○ _____
○ _____
○ _____
○ _____
○ _____
○ _____
○ _____
○ _____
○ _____
○ _____
○ _____

THU · FEBRUARY 11, 2021

_____
_____
_____
_____
_____
_____
_____
_____
_____
_____
_____

- ○ _____
- ○ _____
- ○ _____
- ○ _____
- ○ _____
- ○ _____
- ○ _____
- ○ _____
- ○ _____
- ○ _____
- ○ _____

FRI · FEBRUARY 12, 2021

_____
_____
_____
_____
_____
_____
_____
_____
_____
_____
_____

- ○ _____
- ○ _____
- ○ _____
- ○ _____
- ○ _____
- ○ _____
- ○ _____
- ○ _____
- ○ _____
- ○ _____
- ○ _____

SAT · FEBRUARY 13, 2021

_____
_____
_____
_____
_____
_____
_____
_____
_____

SUN · FEBRUARY 14, 2021

_____
_____
_____
_____
_____
_____
_____
_____

VALENTINE'S DAY

MON · FEBRUARY 15, 2021

_____
_____
_____
_____
_____
_____
_____
_____
_____
PRESIDENTS' DAY

○ _____
○ _____
○ _____
○ _____
○ _____
○ _____
○ _____
○ _____
○ _____
○ _____
○ _____

TUE · FEBRUARY 16, 2021

_____
_____
_____
_____
_____
_____
_____
_____
_____
_____
_____

○ _____
○ _____
○ _____
○ _____
○ _____
○ _____
○ _____
○ _____
○ _____
○ _____
○ _____

WED · FEBRUARY 17, 2021

_____
_____
_____
_____
_____
_____
_____
_____
_____
_____
_____

○ _____
○ _____
○ _____
○ _____
○ _____
○ _____
○ _____
○ _____
○ _____
○ _____
○ _____

THU · FEBRUARY 18, 2021

- ○
- ○
- ○
- ○
- ○
- ○
- ○
- ○
- ○
- ○
- ○

FRI · FEBRUARY 19, 2021

- ○
- ○
- ○
- ○
- ○
- ○
- ○
- ○
- ○
- ○
- ○

SAT · FEBRUARY 20, 2021

SUN · FEBRUARY 21, 2021

MON · FEBRUARY 22, 2021

- ○
- ○
- ○
- ○
- ○
- ○
- ○
- ○
- ○
- ○
- ○

TUE · FEBRUARY 23, 2021

- ○
- ○
- ○
- ○
- ○
- ○
- ○
- ○
- ○
- ○
- ○

WED · FEBRUARY 24, 2021

- ○
- ○
- ○
- ○
- ○
- ○
- ○
- ○
- ○
- ○
- ○

THU · FEBRUARY 25, 2021

- ○
- ○
- ○
- ○
- ○
- ○
- ○
- ○
- ○
- ○
- ○

FRI · FEBRUARY 26, 2021

- ○
- ○
- ○
- ○
- ○
- ○
- ○
- ○
- ○
- ○
- ○

SAT · FEBRUARY 27, 2021

SUN · FEBRUARY 28, 2021

March 2021

SUNDAY	MONDAY	TUESDAY	WEDNESDAY
	1	2	3
7	8	9	10
14 DAYLIGHT SAVINGS BEGINS	15	16	17 ST. PATRICK'S DAY
21	22	23 *National Puppy Day*	24
28	29	30	31

> Anything can happen if you let it.
>
> - Mary Poppins

THURSDAY	FRIDAY	SATURDAY	NOTES
4	5	6	
11	12	13	
18	19	20 International Day of Happiness	
25	26	27	

MON · MARCH 1, 2021

_____   ○ _____
_____   ○ _____
_____   ○ _____
_____   ○ _____
_____   ○ _____
_____   ○ _____
_____   ○ _____
_____   ○ _____
_____   ○ _____
_____   ○ _____
_____   ○ _____

TUE · MARCH 2, 2021

_____   ○ _____
_____   ○ _____
_____   ○ _____
_____   ○ _____
_____   ○ _____
_____   ○ _____
_____   ○ _____
_____   ○ _____
_____   ○ _____
_____   ○ _____
_____   ○ _____

WED · MARCH 3, 2021

_____   ○ _____
_____   ○ _____
_____   ○ _____
_____   ○ _____
_____   ○ _____
_____   ○ _____
_____   ○ _____
_____   ○ _____
_____   ○ _____
_____   ○ _____
_____   ○ _____

THU · MARCH 4, 2021

FRI · MARCH 5, 2021

SAT · MARCH 6, 2021

SUN · MARCH 7, 2021

MON · MARCH 8, 2021

_____   ○ _____
_____   ○ _____
_____   ○ _____
_____   ○ _____
_____   ○ _____
_____   ○ _____
_____   ○ _____
_____   ○ _____
_____   ○ _____
_____   ○ _____
_____   ○ _____

TUE · MARCH 9, 2021

_____   ○ _____
_____   ○ _____
_____   ○ _____
_____   ○ _____
_____   ○ _____
_____   ○ _____
_____   ○ _____
_____   ○ _____
_____   ○ _____
_____   ○ _____
_____   ○ _____

WED · MARCH 10, 2021

_____   ○ _____
_____   ○ _____
_____   ○ _____
_____   ○ _____
_____   ○ _____
_____   ○ _____
_____   ○ _____
_____   ○ _____
_____   ○ _____
_____   ○ _____
_____   ○ _____
_____   ○ _____

THU · MARCH 11, 2021

○
○
○
○
○
○
○
○
○
○
○

FRI · MARCH 12, 2021

○
○
○
○
○
○
○
○
○
○
○

SAT · MARCH 13, 2021

SUN · MARCH 14, 2021

DAYLIGHT SAVINGS BEGINS

MON · MARCH 15, 2021

○
○
○
○
○
○
○
○
○
○
○

TUE · MARCH 16, 2021

○
○
○
○
○
○
○
○
○
○
○

WED · MARCH 17, 2021

○
○
○
○
○
○
○
○
○
○

ST. PATRICK'S DAY

○

THU · MARCH 18, 2021

- ○
- ○
- ○
- ○
- ○
- ○
- ○
- ○
- ○
- ○
- ○

FRI · MARCH 19, 2021

- ○
- ○
- ○
- ○
- ○
- ○
- ○
- ○
- ○
- ○
- ○

SAT · MARCH 20, 2021

SUN · MARCH 21, 2021

MON · MARCH 22, 2021

_____

- _____
- _____
- _____
- _____
- _____
- _____
- _____
- _____
- _____
- _____
- _____

TUE · MARCH 23, 2021

_____

- _____
- _____
- _____
- _____
- _____
- _____
- _____
- _____
- _____
- _____
- _____

WED · MARCH 24, 2021

_____

- _____
- _____
- _____
- _____
- _____
- _____
- _____
- _____
- _____
- _____
- _____

THU · MARCH 25, 2021

FRI · MARCH 26, 2021

SAT · MARCH 27, 2021

SUN · MARCH 28, 2021

MON · MARCH 29, 2021

_____   ○ _____
_____   ○ _____
_____   ○ _____
_____   ○ _____
_____   ○ _____
_____   ○ _____
_____   ○ _____
_____   ○ _____
_____   ○ _____
_____   ○ _____
_____   ○ _____

TUE · MARCH 30, 2021

_____   ○ _____
_____   ○ _____
_____   ○ _____
_____   ○ _____
_____   ○ _____
_____   ○ _____
_____   ○ _____
_____   ○ _____
_____   ○ _____
_____   ○ _____
_____   ○ _____

WED · MARCH 31, 2021

_____   ○ _____
_____   ○ _____
_____   ○ _____
_____   ○ _____
_____   ○ _____
_____   ○ _____
_____   ○ _____
_____   ○ _____
_____   ○ _____
_____   ○ _____
_____   ○ _____

THU · APRIL 1, 2021

- ○
- ○
- ○
- ○
- ○
- ○
- ○
- ○
- ○
- ○
- ○

FRI · APRIL 2, 2021

- ○
- ○
- ○
- ○
- ○
- ○
- ○
- ○
- ○
- ○
- ○

GOOD FRIDAY

SAT · APRIL 3, 2021

SUN · APRIL 4, 2021

EASTER

April 2021

SUNDAY	MONDAY	TUESDAY	WEDNESDAY
4 EASTER	5	6	7
11	12	13	14
18	19	20	21
25	26 *National Pretzel Day*	27	28

> The world belongs to the enthusiastic.
> – Ralph Waldo Emerson

THURSDAY	FRIDAY	SATURDAY	NOTES
1	2 GOOD FRIDAY	3	
8	9	10 National Siblings Day	
15 National High Five Day	16	17	
22 EARTH DAY	23	24	
29	30		

MON · APRIL 5, 2021

- ○ _____
- ○ _____
- ○ _____
- ○ _____
- ○ _____
- ○ _____
- ○ _____
- ○ _____
- ○ _____
- ○ _____
- ○ _____

TUE · APRIL 6, 2021

- ○ _____
- ○ _____
- ○ _____
- ○ _____
- ○ _____
- ○ _____
- ○ _____
- ○ _____
- ○ _____
- ○ _____
- ○ _____

WED · APRIL 7, 2021

- ○ _____
- ○ _____
- ○ _____
- ○ _____
- ○ _____
- ○ _____
- ○ _____
- ○ _____
- ○ _____
- ○ _____
- ○ _____

THU · APRIL 8, 2021

- ○ _____
- ○ _____
- ○ _____
- ○ _____
- ○ _____
- ○ _____
- ○ _____
- ○ _____
- ○ _____
- ○ _____
- ○ _____

FRI · APRIL 9, 2021

- ○ _____
- ○ _____
- ○ _____
- ○ _____
- ○ _____
- ○ _____
- ○ _____
- ○ _____
- ○ _____
- ○ _____
- ○ _____

SAT · APRIL 10, 2021

SUN · APRIL 11, 2021

MON · APRIL 12, 2021

- ○
- ○
- ○
- ○
- ○
- ○
- ○
- ○
- ○
- ○
- ○

TUE · APRIL 13, 2021

- ○
- ○
- ○
- ○
- ○
- ○
- ○
- ○
- ○
- ○
- ○

WED · APRIL 14, 2021

- ○
- ○
- ○
- ○
- ○
- ○
- ○
- ○
- ○
- ○
- ○

THU · APRIL 15, 2021

_____

- ○ _____
- ○ _____
- ○ _____
- ○ _____
- ○ _____
- ○ _____
- ○ _____
- ○ _____
- ○ _____
- ○ _____
- ○ _____

FRI · APRIL 16, 2021

_____

- ○ _____
- ○ _____
- ○ _____
- ○ _____
- ○ _____
- ○ _____
- ○ _____
- ○ _____
- ○ _____
- ○ _____
- ○ _____

SAT · APRIL 17, 2021

SUN · APRIL 18, 2021

MON · APRIL 19, 2021

_____

- ○ _____
- ○ _____
- ○ _____
- ○ _____
- ○ _____
- ○ _____
- ○ _____
- ○ _____
- ○ _____
- ○ _____
- ○ _____

TUE · APRIL 20, 2021

_____

- ○ _____
- ○ _____
- ○ _____
- ○ _____
- ○ _____
- ○ _____
- ○ _____
- ○ _____
- ○ _____
- ○ _____
- ○ _____

WED · APRIL 21, 2021

_____

- ○ _____
- ○ _____
- ○ _____
- ○ _____
- ○ _____
- ○ _____
- ○ _____
- ○ _____
- ○ _____
- ○ _____
- ○ _____

THU · APRIL 22, 2021

_____
_____
_____
_____
_____
_____
_____
_____
_____
_____

EARTH DAY

- ○ _____
- ○ _____
- ○ _____
- ○ _____
- ○ _____
- ○ _____
- ○ _____
- ○ _____
- ○ _____
- ○ _____
- ○ _____

FRI · APRIL 23, 2021

_____
_____
_____
_____
_____
_____
_____
_____
_____
_____
_____

- ○ _____
- ○ _____
- ○ _____
- ○ _____
- ○ _____
- ○ _____
- ○ _____
- ○ _____
- ○ _____
- ○ _____
- ○ _____

SAT · APRIL 24, 2021

_____
_____
_____
_____
_____
_____
_____
_____
_____
_____

SUN · APRIL 25, 2021

_____
_____
_____
_____
_____
_____
_____
_____
_____
_____

MON · APRIL 26, 2021

_____
_____
_____
_____
_____
_____
_____
_____
_____
_____
_____

○ _____
○ _____
○ _____
○ _____
○ _____
○ _____
○ _____
○ _____
○ _____
○ _____
○ _____

TUE · APRIL 27, 2021

_____
_____
_____
_____
_____
_____
_____
_____
_____
_____
_____

○ _____
○ _____
○ _____
○ _____
○ _____
○ _____
○ _____
○ _____
○ _____
○ _____
○ _____

WED · APRIL 28, 2021

_____
_____
_____
_____
_____
_____
_____
_____
_____
_____
_____

○ _____
○ _____
○ _____
○ _____
○ _____
○ _____
○ _____
○ _____
○ _____
○ _____
○ _____

THU · APRIL 29, 2021

_____

- ○ _____
- ○ _____
- ○ _____
- ○ _____
- ○ _____
- ○ _____
- ○ _____
- ○ _____
- ○ _____
- ○ _____
- ○ _____

FRI · APRIL 30, 2021

_____

- ○ _____
- ○ _____
- ○ _____
- ○ _____
- ○ _____
- ○ _____
- ○ _____
- ○ _____
- ○ _____
- ○ _____
- ○ _____

SAT · MAY 1, 2021

SUN · MAY 2, 2021

May 2021

SUNDAY	MONDAY	TUESDAY	WEDNESDAY
2 World Laughter Day	3	4	5 Cinco de Mayo
9 MOTHER'S DAY	10	11	12
16	17	18	19
23 30	24 31 MEMORIAL DAY	25	26

THURSDAY	FRIDAY	SATURDAY	NOTES
		1	
6	7	8	
13	14	15	
20	21	22	
27	28	29	

MON · MAY 3, 2021

_____

○ _____
○ _____
○ _____
○ _____
○ _____
○ _____
○ _____
○ _____
○ _____
○ _____
○ _____

TUE · MAY 4, 2021

_____

○ _____
○ _____
○ _____
○ _____
○ _____
○ _____
○ _____
○ _____
○ _____
○ _____
○ _____

WED · MAY 5, 2021

_____

○ _____
○ _____
○ _____
○ _____
○ _____
○ _____
○ _____
○ _____
○ _____
○ _____
○ _____

THU · MAY 6, 2021

- ◯
- ◯
- ◯
- ◯
- ◯
- ◯
- ◯
- ◯
- ◯
- ◯
- ◯

FRI · MAY 7, 2021

- ◯
- ◯
- ◯
- ◯
- ◯
- ◯
- ◯
- ◯
- ◯
- ◯
- ◯

SAT · MAY 8, 2021

SUN · MAY 9, 2021

MOTHER'S DAY

MON · MAY 10, 2021

- ○
- ○
- ○
- ○
- ○
- ○
- ○
- ○
- ○
- ○
- ○

TUE · MAY 11, 2021

- ○
- ○
- ○
- ○
- ○
- ○
- ○
- ○
- ○
- ○
- ○

WED · MAY 12, 2021

- ○
- ○
- ○
- ○
- ○
- ○
- ○
- ○
- ○
- ○
- ○

THU · MAY 13, 2021

○
○
○
○
○
○
○
○
○
○
○

FRI · MAY 14, 2021

○
○
○
○
○
○
○
○
○
○
○

SAT · MAY 15, 2021

SUN · MAY 16, 2021

MON · MAY 17, 2021

TUE · MAY 18, 2021

WED · MAY 19, 2021

THU · MAY 20, 2021

_____

- ○ _____
- ○ _____
- ○ _____
- ○ _____
- ○ _____
- ○ _____
- ○ _____
- ○ _____
- ○ _____
- ○ _____
- ○ _____

FRI · MAY 21, 2021

_____

- ○ _____
- ○ _____
- ○ _____
- ○ _____
- ○ _____
- ○ _____
- ○ _____
- ○ _____
- ○ _____
- ○ _____
- ○ _____

SAT · MAY 22, 2021

SUN · MAY 23, 2021

MON · MAY 24, 2021

- ○
- ○
- ○
- ○
- ○
- ○
- ○
- ○
- ○
- ○
- ○

TUE · MAY 25, 2021

- ○
- ○
- ○
- ○
- ○
- ○
- ○
- ○
- ○
- ○
- ○

WED · MAY 26, 2021

- ○
- ○
- ○
- ○
- ○
- ○
- ○
- ○
- ○
- ○
- ○

THU · MAY 27, 2021

_____

- _____
- _____
- _____
- _____
- _____
- _____
- _____
- _____
- _____
- _____
- _____

FRI · MAY 28, 2021

_____

- _____
- _____
- _____
- _____
- _____
- _____
- _____
- _____
- _____
- _____
- _____

SAT · MAY 29, 2021

SUN · MAY 30, 2021

June 2021

SUNDAY	MONDAY	TUESDAY	WEDNESDAY
		1	2
6	7	8	9
13	14 FLAG DAY	15	16
20 FATHER'S DAY	21 World Music Day	22	23
27	28	29	30

> Adventure is worthwhile in itself.
>
> – Amelia Earhart

THURSDAY	FRIDAY	SATURDAY	NOTES
3	4 *National Donut Day*	5	
10	11	12	
17	18	19 JUNETEENTH	
24	25	26	

MON · MAY 31, 2021

_____   ○ _____
_____   ○ _____
_____   ○ _____
_____   ○ _____
_____   ○ _____
_____   ○ _____
_____   ○ _____
_____   ○ _____
_____   ○ _____
_____   ○ _____
MEMORIAL DAY   ○ _____

TUE · JUNE 1, 2021

_____   ○ _____
_____   ○ _____
_____   ○ _____
_____   ○ _____
_____   ○ _____
_____   ○ _____
_____   ○ _____
_____   ○ _____
_____   ○ _____
_____   ○ _____
_____   ○ _____

WED · JUNE 2, 2021

_____   ○ _____
_____   ○ _____
_____   ○ _____
_____   ○ _____
_____   ○ _____
_____   ○ _____
_____   ○ _____
_____   ○ _____
_____   ○ _____
_____   ○ _____
_____   ○ _____

THU · JUNE 3, 2021

_____   ○ _____
_____   ○ _____
_____   ○ _____
_____   ○ _____
_____   ○ _____
_____   ○ _____
_____   ○ _____
_____   ○ _____
_____   ○ _____
_____   ○ _____
_____   ○ _____

FRI · JUNE 4, 2021

_____   ○ _____
_____   ○ _____
_____   ○ _____
_____   ○ _____
_____   ○ _____
_____   ○ _____
_____   ○ _____
_____   ○ _____
_____   ○ _____
_____   ○ _____
_____   ○ _____

SAT · JUNE 5, 2021   # SUN · JUNE 6, 2021

MON · JUNE 7, 2021

TUE · JUNE 8, 2021

WED · JUNE 9, 2021

THU · JUNE 10, 2021

_____

- ○ _____
- ○ _____
- ○ _____
- ○ _____
- ○ _____
- ○ _____
- ○ _____
- ○ _____
- ○ _____
- ○ _____
- ○ _____

FRI · JUNE 11, 2021

_____

- ○ _____
- ○ _____
- ○ _____
- ○ _____
- ○ _____
- ○ _____
- ○ _____
- ○ _____
- ○ _____
- ○ _____
- ○ _____

SAT · JUNE 12, 2021

SUN · JUNE 13, 2021

MON · JUNE 14, 2021

_____
_____
_____
_____
_____
_____
_____
_____
_____

FLAG DAY

- ○ _____
- ○ _____
- ○ _____
- ○ _____
- ○ _____
- ○ _____
- ○ _____
- ○ _____
- ○ _____
- ○ _____
- ○ _____

TUE · JUNE 15, 2021

_____
_____
_____
_____
_____
_____
_____
_____
_____
_____
_____
_____

- ○ _____
- ○ _____
- ○ _____
- ○ _____
- ○ _____
- ○ _____
- ○ _____
- ○ _____
- ○ _____
- ○ _____
- ○ _____

WED · JUNE 16, 2021

_____
_____
_____
_____
_____
_____
_____
_____
_____
_____
_____
_____

- ○ _____
- ○ _____
- ○ _____
- ○ _____
- ○ _____
- ○ _____
- ○ _____
- ○ _____
- ○ _____
- ○ _____
- ○ _____

THU · JUNE 17, 2021

_____
_____
_____
_____
_____
_____
_____
_____
_____
_____
_____
_____

_____

○ _____
○ _____
○ _____
○ _____
○ _____
○ _____
○ _____
○ _____
○ _____
○ _____
○ _____

FRI · JUNE 18, 2021

_____
_____
_____
_____
_____
_____
_____
_____
_____
_____
_____
_____

_____

○ _____
○ _____
○ _____
○ _____
○ _____
○ _____
○ _____
○ _____
○ _____
○ _____
○ _____

SAT · JUNE 19, 2021

_____
_____
_____
_____
_____
_____
_____
_____
_____

JUNETEENTH

SUN · JUNE 20, 2021

_____
_____
_____
_____
_____
_____
_____
_____
_____

FATHER'S DAY

MON · JUNE 21, 2021

_____
_____
_____
_____
_____
_____
_____
_____
_____
_____
_____

- ○ _____
- ○ _____
- ○ _____
- ○ _____
- ○ _____
- ○ _____
- ○ _____
- ○ _____
- ○ _____
- ○ _____
- ○ _____

TUE · JUNE 22, 2021

_____
_____
_____
_____
_____
_____
_____
_____
_____
_____
_____
_____

- ○ _____
- ○ _____
- ○ _____
- ○ _____
- ○ _____
- ○ _____
- ○ _____
- ○ _____
- ○ _____
- ○ _____
- ○ _____

WED · JUNE 23, 2021

_____
_____
_____
_____
_____
_____
_____
_____
_____
_____
_____

- ○ _____
- ○ _____
- ○ _____
- ○ _____
- ○ _____
- ○ _____
- ○ _____
- ○ _____
- ○ _____
- ○ _____
- ○ _____

◣ THU · JUNE 24, 2021

_____

- ○ _____
- ○ _____
- ○ _____
- ○ _____
- ○ _____
- ○ _____
- ○ _____
- ○ _____
- ○ _____
- ○ _____
- ○ _____

◣ FRI · JUNE 25, 2021

_____

- ○ _____
- ○ _____
- ○ _____
- ○ _____
- ○ _____
- ○ _____
- ○ _____
- ○ _____
- ○ _____
- ○ _____
- ○ _____

◣ SAT · JUNE 26, 2021

◣ SUN · JUNE 27, 2021

MON · JUNE 28, 2021

_____

- ○ _____
- ○ _____
- ○ _____
- ○ _____
- ○ _____
- ○ _____
- ○ _____
- ○ _____
- ○ _____
- ○ _____
- ○ _____

TUE · JUNE 29, 2021

_____

- ○ _____
- ○ _____
- ○ _____
- ○ _____
- ○ _____
- ○ _____
- ○ _____
- ○ _____
- ○ _____
- ○ _____
- ○ _____

WED · JUNE 30, 2021

_____

- ○ _____
- ○ _____
- ○ _____
- ○ _____
- ○ _____
- ○ _____
- ○ _____
- ○ _____
- ○ _____
- ○ _____
- ○ _____

THU · JULY 1, 2021

○
○
○
○
○
○
○
○
○
○
○

FRI · JULY 2, 2021

○
○
○
○
○
○
○
○
○
○
○

SAT · JULY 3, 2021

SUN · JULY 4, 2021

INDEPENDENCE DAY

July 2021

SUNDAY	MONDAY	TUESDAY	WEDNESDAY
4 INDEPENDENCE DAY	5	6	7
11	12	13	14
18 National Ice Cream Day	19	20	21
25	26	27	28

THURSDAY	FRIDAY	SATURDAY	NOTES
1	2	3	
8	9	10	
15	16	17	
22	23	24	
29	30	31	

MON · JULY 5, 2021

_____

- ○ _____
- ○ _____
- ○ _____
- ○ _____
- ○ _____
- ○ _____
- ○ _____
- ○ _____
- ○ _____
- ○ _____
- ○ _____

TUE · JULY 6, 2021

_____

- ○ _____
- ○ _____
- ○ _____
- ○ _____
- ○ _____
- ○ _____
- ○ _____
- ○ _____
- ○ _____
- ○ _____
- ○ _____

WED · JULY 7, 2021

_____

- ○ _____
- ○ _____
- ○ _____
- ○ _____
- ○ _____
- ○ _____
- ○ _____
- ○ _____
- ○ _____
- ○ _____
- ○ _____

THU · JULY 8, 2021

- ◯
- ◯
- ◯
- ◯
- ◯
- ◯
- ◯
- ◯
- ◯
- ◯
- ◯

FRI · JULY 9, 2021

- ◯
- ◯
- ◯
- ◯
- ◯
- ◯
- ◯
- ◯
- ◯
- ◯
- ◯

SAT · JULY 10, 2021

SUN · JULY 11, 2021

MON · JULY 12, 2021

_____

- ○ _____
- ○ _____
- ○ _____
- ○ _____
- ○ _____
- ○ _____
- ○ _____
- ○ _____
- ○ _____
- ○ _____
- ○ _____

TUE · JULY 13, 2021

_____

- ○ _____
- ○ _____
- ○ _____
- ○ _____
- ○ _____
- ○ _____
- ○ _____
- ○ _____
- ○ _____
- ○ _____
- ○ _____

WED · JULY 14, 2021

_____

- ○ _____
- ○ _____
- ○ _____
- ○ _____
- ○ _____
- ○ _____
- ○ _____
- ○ _____
- ○ _____
- ○ _____
- ○ _____

THU · JULY 15, 2021

- ○
- ○
- ○
- ○
- ○
- ○
- ○
- ○
- ○
- ○
- ○

FRI · JULY 16, 2021

- ○
- ○
- ○
- ○
- ○
- ○
- ○
- ○
- ○
- ○
- ○

SAT · JULY 17, 2021

SUN · JULY 18, 2021

MON · JULY 19, 2021

- _____
- _____
- _____
- _____
- _____
- _____
- _____
- _____
- _____
- _____
- _____

○ _____
○ _____
○ _____
○ _____
○ _____
○ _____
○ _____
○ _____
○ _____
○ _____
○ _____

TUE · JULY 20, 2021

- _____
- _____
- _____
- _____
- _____
- _____
- _____
- _____
- _____
- _____
- _____

○ _____
○ _____
○ _____
○ _____
○ _____
○ _____
○ _____
○ _____
○ _____
○ _____
○ _____

WED · JULY 21, 2021

- _____
- _____
- _____
- _____
- _____
- _____
- _____
- _____
- _____
- _____
- _____

○ _____
○ _____
○ _____
○ _____
○ _____
○ _____
○ _____
○ _____
○ _____
○ _____
○ _____

THU · JULY 22, 2021

_____

- ◯ _____
- ◯ _____
- ◯ _____
- ◯ _____
- ◯ _____
- ◯ _____
- ◯ _____
- ◯ _____
- ◯ _____
- ◯ _____
- ◯ _____

FRI · JULY 23, 2021

_____

- ◯ _____
- ◯ _____
- ◯ _____
- ◯ _____
- ◯ _____
- ◯ _____
- ◯ _____
- ◯ _____
- ◯ _____
- ◯ _____
- ◯ _____

SAT · JULY 24, 2021

SUN · JULY 25, 2021

MON · JULY 26, 2021

_____

_____	○ _____
_____	○ _____
_____	○ _____
_____	○ _____
_____	○ _____
_____	○ _____
_____	○ _____
_____	○ _____
_____	○ _____
_____	○ _____
_____	○ _____

TUE · JULY 27, 2021

_____

_____	○ _____
_____	○ _____
_____	○ _____
_____	○ _____
_____	○ _____
_____	○ _____
_____	○ _____
_____	○ _____
_____	○ _____
_____	○ _____
_____	○ _____

WED · JULY 28, 2021

_____

_____	○ _____
_____	○ _____
_____	○ _____
_____	○ _____
_____	○ _____
_____	○ _____
_____	○ _____
_____	○ _____
_____	○ _____
_____	○ _____
_____	○ _____

THU · JULY 29, 2021

_____

○ _____
○ _____
○ _____
○ _____
○ _____
○ _____
○ _____
○ _____
○ _____
○ _____
○ _____

FRI · JULY 30, 2021

_____

○ _____
○ _____
○ _____
○ _____
○ _____
○ _____
○ _____
○ _____
○ _____
○ _____
○ _____

SAT · JULY 31, 2021

SUN · AUGUST 1, 2021

August 2021

SUNDAY	MONDAY	TUESDAY	WEDNESDAY
1	2	3	4
8	9 *Book Lovers Day*	10	11
15	16 *Tell a Joke Day*	17	18
22	23	24	25
29	30	31	

> The secret of getting ahead is getting started.
> — Mark Twain

THURSDAY	FRIDAY	SATURDAY	NOTES
5	6	7	
12	13	14	
19	20	21	
26 National Dog Day	27	28	

MON · AUGUST 2, 2021

_____

- ○ _____
- ○ _____
- ○ _____
- ○ _____
- ○ _____
- ○ _____
- ○ _____
- ○ _____
- ○ _____
- ○ _____
- ○ _____

TUE · AUGUST 3, 2021

_____

- ○ _____
- ○ _____
- ○ _____
- ○ _____
- ○ _____
- ○ _____
- ○ _____
- ○ _____
- ○ _____
- ○ _____
- ○ _____

WED · AUGUST 4, 2021

_____

- ○ _____
- ○ _____
- ○ _____
- ○ _____
- ○ _____
- ○ _____
- ○ _____
- ○ _____
- ○ _____
- ○ _____
- ○ _____

THU · AUGUST 5, 2021

_____
_____
_____
_____
_____
_____
_____
_____
_____
_____
_____
_____

- ○ _____
- ○ _____
- ○ _____
- ○ _____
- ○ _____
- ○ _____
- ○ _____
- ○ _____
- ○ _____
- ○ _____
- ○ _____

FRI · AUGUST 6, 2021

_____
_____
_____
_____
_____
_____
_____
_____
_____
_____
_____
_____

- ○ _____
- ○ _____
- ○ _____
- ○ _____
- ○ _____
- ○ _____
- ○ _____
- ○ _____
- ○ _____
- ○ _____
- ○ _____
- ○ _____

SAT · AUGUST 7, 2021

_____
_____
_____
_____
_____
_____
_____
_____
_____
_____
_____

SUN · AUGUST 8, 2021

_____
_____
_____
_____
_____
_____
_____
_____
_____
_____
_____

MON · AUGUST 9, 2021

○
○
○
○
○
○
○
○
○
○
○
○

TUE · AUGUST 10, 2021

○
○
○
○
○
○
○
○
○
○
○
○

WED · AUGUST 11, 2021

○
○
○
○
○
○
○
○
○
○
○
○

THU · AUGUST 12, 2021

- ○ _____
- ○ _____
- ○ _____
- ○ _____
- ○ _____
- ○ _____
- ○ _____
- ○ _____
- ○ _____
- ○ _____
- ○ _____

FRI · AUGUST 13, 2021

- ○ _____
- ○ _____
- ○ _____
- ○ _____
- ○ _____
- ○ _____
- ○ _____
- ○ _____
- ○ _____
- ○ _____
- ○ _____

SAT · AUGUST 14, 2021

SUN · AUGUST 15, 2021

MON · AUGUST 16, 2021

- ○ _____
- ○ _____
- ○ _____
- ○ _____
- ○ _____
- ○ _____
- ○ _____
- ○ _____
- ○ _____
- ○ _____
- ○ _____

TUE · AUGUST 17, 2021

- ○ _____
- ○ _____
- ○ _____
- ○ _____
- ○ _____
- ○ _____
- ○ _____
- ○ _____
- ○ _____
- ○ _____
- ○ _____

WED · AUGUST 18, 2021

- ○ _____
- ○ _____
- ○ _____
- ○ _____
- ○ _____
- ○ _____
- ○ _____
- ○ _____
- ○ _____
- ○ _____
- ○ _____

THU · AUGUST 19, 2021

_____   ○ _____
_____   ○ _____
_____   ○ _____
_____   ○ _____
_____   ○ _____
_____   ○ _____
_____   ○ _____
_____   ○ _____
_____   ○ _____
_____   ○ _____
_____   ○ _____

FRI · AUGUST 20, 2021

_____   ○ _____
_____   ○ _____
_____   ○ _____
_____   ○ _____
_____   ○ _____
_____   ○ _____
_____   ○ _____
_____   ○ _____
_____   ○ _____
_____   ○ _____
_____   ○ _____

SAT · AUGUST 21, 2021

SUN · AUGUST 22, 2021

MON · AUGUST 23, 2021

- ○
- ○
- ○
- ○
- ○
- ○
- ○
- ○
- ○
- ○
- ○

TUE · AUGUST 24, 2021

- ○
- ○
- ○
- ○
- ○
- ○
- ○
- ○
- ○
- ○
- ○

WED · AUGUST 25, 2021

- ○
- ○
- ○
- ○
- ○
- ○
- ○
- ○
- ○
- ○
- ○

THU · AUGUST 26, 2021

- ○
- ○
- ○
- ○
- ○
- ○
- ○
- ○
- ○
- ○
- ○

FRI · AUGUST 27, 2021

- ○
- ○
- ○
- ○
- ○
- ○
- ○
- ○
- ○
- ○
- ○

SAT · AUGUST 28, 2021

SUN · AUGUST 29, 2021

MON · AUGUST 30, 2021

_____

- ○ _____
- ○ _____
- ○ _____
- ○ _____
- ○ _____
- ○ _____
- ○ _____
- ○ _____
- ○ _____
- ○ _____
- ○ _____

TUE · AUGUST 31, 2021

_____

- ○ _____
- ○ _____
- ○ _____
- ○ _____
- ○ _____
- ○ _____
- ○ _____
- ○ _____
- ○ _____
- ○ _____
- ○ _____

WED · SEPTEMBER 1, 2021

_____

- ○ _____
- ○ _____
- ○ _____
- ○ _____
- ○ _____
- ○ _____
- ○ _____
- ○ _____
- ○ _____
- ○ _____
- ○ _____

THU · SEPTEMBER 2, 2021

_____

- _____
- _____
- _____
- _____
- _____
- _____
- _____
- _____
- _____
- _____
- _____

FRI · SEPTEMBER 3, 2021

_____

- _____
- _____
- _____
- _____
- _____
- _____
- _____
- _____
- _____
- _____
- _____
- _____

SAT · SEPTEMBER 4, 2021

SUN · SEPTEMBER 5, 2021

September 2021

SUNDAY	MONDAY	TUESDAY	WEDNESDAY
			1
5	6 LABOR DAY	7 ROSH HASHANAH	8
12	13	14	15 YOM KIPPUR
19	20	21 *World Gratitude Day*	22
26	27	28	29

THURSDAY	FRIDAY	SATURDAY	NOTES
2	3	4	
9	10	11	
16	17	18	
23	24	25	
30			

MON · SEPTEMBER 6, 2021

LABOR DAY

TUE · SEPTEMBER 7, 2021

ROSH HASHANAH

WED · SEPTEMBER 8, 2021

THU · SEPTEMBER 9, 2021

_____   ○ _____
_____   ○ _____
_____   ○ _____
_____   ○ _____
_____   ○ _____
_____   ○ _____
_____   ○ _____
_____   ○ _____
_____   ○ _____
_____   ○ _____
_____   ○ _____

FRI · SEPTEMBER 10, 2021

_____   ○ _____
_____   ○ _____
_____   ○ _____
_____   ○ _____
_____   ○ _____
_____   ○ _____
_____   ○ _____
_____   ○ _____
_____   ○ _____
_____   ○ _____
_____   ○ _____

SAT · SEPTEMBER 11, 2021

_____
_____
_____
_____
_____
_____
_____
_____
_____

SUN · SEPTEMBER 12, 2021

_____
_____
_____
_____
_____
_____
_____
_____
_____

MON · SEPTEMBER 13, 2021

- ○ _____
- ○ _____
- ○ _____
- ○ _____
- ○ _____
- ○ _____
- ○ _____
- ○ _____
- ○ _____
- ○ _____
- ○ _____

TUE · SEPTEMBER 14, 2021

- ○ _____
- ○ _____
- ○ _____
- ○ _____
- ○ _____
- ○ _____
- ○ _____
- ○ _____
- ○ _____
- ○ _____
- ○ _____

WED · SEPTEMBER 15, 2021

- ○ _____
- ○ _____
- ○ _____
- ○ _____
- ○ _____
- ○ _____
- ○ _____
- ○ _____
- ○ _____
- ○ _____
- ○ _____

YOM KIPPUR

THU · SEPTEMBER 16, 2021

_____
_____
_____
_____
_____
_____
_____
_____
_____
_____

- ○ _____
- ○ _____
- ○ _____
- ○ _____
- ○ _____
- ○ _____
- ○ _____
- ○ _____
- ○ _____
- ○ _____
- ○ _____

FRI · SEPTEMBER 17, 2021

_____
_____
_____
_____
_____
_____
_____
_____
_____
_____
_____
_____

- ○ _____
- ○ _____
- ○ _____
- ○ _____
- ○ _____
- ○ _____
- ○ _____
- ○ _____
- ○ _____
- ○ _____
- ○ _____

SAT · SEPTEMBER 18, 2021

_____
_____
_____
_____
_____
_____
_____
_____
_____
_____

SUN · SEPTEMBER 19, 2021

_____
_____
_____
_____
_____
_____
_____
_____
_____
_____

MON · SEPTEMBER 20, 2021

_____

- ○ _____
- ○ _____
- ○ _____
- ○ _____
- ○ _____
- ○ _____
- ○ _____
- ○ _____
- ○ _____
- ○ _____
- ○ _____

TUE · SEPTEMBER 21, 2021

_____

- ○ _____
- ○ _____
- ○ _____
- ○ _____
- ○ _____
- ○ _____
- ○ _____
- ○ _____
- ○ _____
- ○ _____
- ○ _____

WED · SEPTEMBER 22, 2021

_____

- ○ _____
- ○ _____
- ○ _____
- ○ _____
- ○ _____
- ○ _____
- ○ _____
- ○ _____
- ○ _____
- ○ _____
- ○ _____

THU · SEPTEMBER 23, 2021

_____

- ○ _____
- ○ _____
- ○ _____
- ○ _____
- ○ _____
- ○ _____
- ○ _____
- ○ _____
- ○ _____
- ○ _____
- ○ _____

FRI · SEPTEMBER 24, 2021

_____

- ○ _____
- ○ _____
- ○ _____
- ○ _____
- ○ _____
- ○ _____
- ○ _____
- ○ _____
- ○ _____
- ○ _____
- ○ _____

SAT · SEPTEMBER 25, 2021

SUN · SEPTEMBER 26, 2021

MON · SEPTEMBER 27, 2021

_____

- ○ _____
- ○ _____
- ○ _____
- ○ _____
- ○ _____
- ○ _____
- ○ _____
- ○ _____
- ○ _____
- ○ _____
- ○ _____

TUE · SEPTEMBER 28, 2021

_____

- ○ _____
- ○ _____
- ○ _____
- ○ _____
- ○ _____
- ○ _____
- ○ _____
- ○ _____
- ○ _____
- ○ _____
- ○ _____

WED · SEPTEMBER 29, 2021

_____

- ○ _____
- ○ _____
- ○ _____
- ○ _____
- ○ _____
- ○ _____
- ○ _____
- ○ _____
- ○ _____
- ○ _____
- ○ _____

THU · SEPTEMBER 30, 2021

_____
_____
_____
_____
_____
_____
_____
_____
_____
_____
_____
_____

- ○ _____
- ○ _____
- ○ _____
- ○ _____
- ○ _____
- ○ _____
- ○ _____
- ○ _____
- ○ _____
- ○ _____
- ○ _____

FRI · OCTOBER 1, 2021

_____
_____
_____
_____
_____
_____
_____
_____
_____
_____
_____
_____

- ○ _____
- ○ _____
- ○ _____
- ○ _____
- ○ _____
- ○ _____
- ○ _____
- ○ _____
- ○ _____
- ○ _____
- ○ _____

SAT · OCTOBER 2, 2021

_____
_____
_____
_____
_____
_____
_____
_____
_____
_____
_____

SUN · OCTOBER 3, 2021

_____
_____
_____
_____
_____
_____
_____
_____
_____
_____
_____

October 2021

SUNDAY	MONDAY	TUESDAY	WEDNESDAY
3	4 *National Taco Day*	5	6
10	11 COLUMBUS DAY INDIGENOUS PEOPLES' DAY	12	13
17	18	19	20
24 / 31 HALLOWEEN	25	26	27

THURSDAY	FRIDAY	SATURDAY	NOTES
	1 *World Smile Day*	2	
7	8	9	
14	15	16	
21	22	23	
28	29	30	

MON · OCTOBER 4, 2021

- ○
- ○
- ○
- ○
- ○
- ○
- ○
- ○
- ○
- ○
- ○

TUE · OCTOBER 5, 2021

- ○
- ○
- ○
- ○
- ○
- ○
- ○
- ○
- ○
- ○
- ○

WED · OCTOBER 6, 2021

- ○
- ○
- ○
- ○
- ○
- ○
- ○
- ○
- ○
- ○
- ○

THU · OCTOBER 7, 2021

- ○ _____
- ○ _____
- ○ _____
- ○ _____
- ○ _____
- ○ _____
- ○ _____
- ○ _____
- ○ _____
- ○ _____
- ○ _____

FRI · OCTOBER 8, 2021

- ○ _____
- ○ _____
- ○ _____
- ○ _____
- ○ _____
- ○ _____
- ○ _____
- ○ _____
- ○ _____
- ○ _____
- ○ _____

SAT · OCTOBER 9, 2021

SUN · OCTOBER 10, 2021

MON · OCTOBER 11, 2021

COLUMBUS DAY / INDIGENOUS PEOPLES' DAY

TUE · OCTOBER 12, 2021

WED · OCTOBER 13, 2021

THU · OCTOBER 14, 2021

_____   ○ _____
_____   ○ _____
_____   ○ _____
_____   ○ _____
_____   ○ _____
_____   ○ _____
_____   ○ _____
_____   ○ _____
_____   ○ _____
_____   ○ _____
_____   ○ _____

FRI · OCTOBER 15, 2021

_____   ○ _____
_____   ○ _____
_____   ○ _____
_____   ○ _____
_____   ○ _____
_____   ○ _____
_____   ○ _____
_____   ○ _____
_____   ○ _____
_____   ○ _____
_____   ○ _____

SAT · OCTOBER 16, 2021   ## SUN · OCTOBER 17, 2021

MON · OCTOBER 18, 2021

- ○
- ○
- ○
- ○
- ○
- ○
- ○
- ○
- ○
- ○
- ○

TUE · OCTOBER 19, 2021

- ○
- ○
- ○
- ○
- ○
- ○
- ○
- ○
- ○
- ○
- ○

WED · OCTOBER 20, 2021

- ○
- ○
- ○
- ○
- ○
- ○
- ○
- ○
- ○
- ○
- ○

THU · OCTOBER 21, 2021

_____   ○ _____
_____   ○ _____
_____   ○ _____
_____   ○ _____
_____   ○ _____
_____   ○ _____
_____   ○ _____
_____   ○ _____
_____   ○ _____
_____   ○ _____
_____   ○ _____

FRI · OCTOBER 22, 2021

_____   ○ _____
_____   ○ _____
_____   ○ _____
_____   ○ _____
_____   ○ _____
_____   ○ _____
_____   ○ _____
_____   ○ _____
_____   ○ _____
_____   ○ _____
_____   ○ _____

SAT · OCTOBER 23, 2021

_____
_____
_____
_____
_____
_____
_____
_____
_____
_____

SUN · OCTOBER 24, 2021

_____
_____
_____
_____
_____
_____
_____
_____
_____
_____

MON · OCTOBER 25, 2021

- ○
- ○
- ○
- ○
- ○
- ○
- ○
- ○
- ○
- ○
- ○

TUE · OCTOBER 26, 2021

- ○
- ○
- ○
- ○
- ○
- ○
- ○
- ○
- ○
- ○
- ○

WED · OCTOBER 27, 2021

- ○
- ○
- ○
- ○
- ○
- ○
- ○
- ○
- ○
- ○
- ○

THU · OCTOBER 28, 2021

_____

- ○ _____
- ○ _____
- ○ _____
- ○ _____
- ○ _____
- ○ _____
- ○ _____
- ○ _____
- ○ _____
- ○ _____
- ○ _____

FRI · OCTOBER 29, 2021

_____

- ○ _____
- ○ _____
- ○ _____
- ○ _____
- ○ _____
- ○ _____
- ○ _____
- ○ _____
- ○ _____
- ○ _____
- ○ _____

SAT · OCTOBER 30, 2021

SUN · OCTOBER 31, 2021

HALLOWEEN

November 2021

SUNDAY	MONDAY	TUESDAY	WEDNESDAY
	1	2	3
7 DAYLIGHT SAVINGS ENDS	8	9	10
14	15	16	17
21	22	23	24
28	29 HANUKKAH	30	

> The purpose of our lives is to be happy.
> — Dalai Lama

THURSDAY	FRIDAY	SATURDAY	NOTES
4 DIWALI	5	6	
11 VETERANS DAY	12	13 *World Kindness Day*	
18	19	20	
25 THANKSGIVING	26	27	

MON · NOVEMBER 1, 2021

- ○
- ○
- ○
- ○
- ○
- ○
- ○
- ○
- ○
- ○
- ○

TUE · NOVEMBER 2, 2021

- ○
- ○
- ○
- ○
- ○
- ○
- ○
- ○
- ○
- ○
- ○

WED · NOVEMBER 3, 2021

- ○
- ○
- ○
- ○
- ○
- ○
- ○
- ○
- ○
- ○
- ○

THU · NOVEMBER 4, 2021

DIWALI

○
○
○
○
○
○
○
○
○
○
○
○

FRI · NOVEMBER 5, 2021

○
○
○
○
○
○
○
○
○
○
○

SAT · NOVEMBER 6, 2021

SUN · NOVEMBER 7, 2021

DAYLIGHT SAVINGS ENDS

MON · NOVEMBER 8, 2021

_____

- ○ _____
- ○ _____
- ○ _____
- ○ _____
- ○ _____
- ○ _____
- ○ _____
- ○ _____
- ○ _____
- ○ _____
- ○ _____

TUE · NOVEMBER 9, 2021

_____

- ○ _____
- ○ _____
- ○ _____
- ○ _____
- ○ _____
- ○ _____
- ○ _____
- ○ _____
- ○ _____
- ○ _____
- ○ _____

WED · NOVEMBER 10, 2021

_____

- ○ _____
- ○ _____
- ○ _____
- ○ _____
- ○ _____
- ○ _____
- ○ _____
- ○ _____
- ○ _____
- ○ _____
- ○ _____

THU · NOVEMBER 11, 2021

_____
_____
_____
_____
_____
_____
_____
_____
_____
VETERANS DAY

○ _____
○ _____
○ _____
○ _____
○ _____
○ _____
○ _____
○ _____
○ _____
○ _____
○ _____

FRI · NOVEMBER 12, 2021

_____
_____
_____
_____
_____
_____
_____
_____
_____
_____

○ _____
○ _____
○ _____
○ _____
○ _____
○ _____
○ _____
○ _____
○ _____
○ _____
○ _____

SAT · NOVEMBER 13, 2021

_____
_____
_____
_____
_____
_____
_____
_____
_____

SUN · NOVEMBER 14, 2021

_____
_____
_____
_____
_____
_____
_____
_____
_____

MON · NOVEMBER 15, 2021

_____

_____   ○ _____
_____   ○ _____
_____   ○ _____
_____   ○ _____
_____   ○ _____
_____   ○ _____
_____   ○ _____
_____   ○ _____
_____   ○ _____
_____   ○ _____
_____   ○ _____

TUE · NOVEMBER 16, 2021

_____

_____   ○ _____
_____   ○ _____
_____   ○ _____
_____   ○ _____
_____   ○ _____
_____   ○ _____
_____   ○ _____
_____   ○ _____
_____   ○ _____
_____   ○ _____
_____   ○ _____

WED · NOVEMBER 17, 2021

_____

_____   ○ _____
_____   ○ _____
_____   ○ _____
_____   ○ _____
_____   ○ _____
_____   ○ _____
_____   ○ _____
_____   ○ _____
_____   ○ _____
_____   ○ _____
_____   ○ _____

THU · NOVEMBER 18, 2021

_____

- ○ _____
- ○ _____
- ○ _____
- ○ _____
- ○ _____
- ○ _____
- ○ _____
- ○ _____
- ○ _____
- ○ _____
- ○ _____

FRI · NOVEMBER 19, 2021

_____

- ○ _____
- ○ _____
- ○ _____
- ○ _____
- ○ _____
- ○ _____
- ○ _____
- ○ _____
- ○ _____
- ○ _____
- ○ _____

SAT · NOVEMBER 20, 2021

SUN · NOVEMBER 21, 2021

MON · NOVEMBER 22, 2021

- ○ _____
- ○ _____
- ○ _____
- ○ _____
- ○ _____
- ○ _____
- ○ _____
- ○ _____
- ○ _____
- ○ _____
- ○ _____

TUE · NOVEMBER 23, 2021

- ○ _____
- ○ _____
- ○ _____
- ○ _____
- ○ _____
- ○ _____
- ○ _____
- ○ _____
- ○ _____
- ○ _____
- ○ _____

WED · NOVEMBER 24, 2021

- ○ _____
- ○ _____
- ○ _____
- ○ _____
- ○ _____
- ○ _____
- ○ _____
- ○ _____
- ○ _____
- ○ _____
- ○ _____

THU · NOVEMBER 25, 2021

_____
_____
_____
_____
_____
_____
_____
_____
_____

THANKSGIVING

- ○ _____
- ○ _____
- ○ _____
- ○ _____
- ○ _____
- ○ _____
- ○ _____
- ○ _____
- ○ _____
- ○ _____
- ○ _____

FRI · NOVEMBER 26, 2021

_____
_____
_____
_____
_____
_____
_____
_____
_____
_____

- ○ _____
- ○ _____
- ○ _____
- ○ _____
- ○ _____
- ○ _____
- ○ _____
- ○ _____
- ○ _____
- ○ _____
- ○ _____

SAT · NOVEMBER 27, 2021

_____
_____
_____
_____
_____
_____
_____
_____

SUN · NOVEMBER 28, 2021

_____
_____
_____
_____
_____
_____
_____
_____

MON · NOVEMBER 29, 2021

_____
_____
_____
_____
_____
_____
_____
_____
_____
_____
_____

HANUKKAH

○ _____
○ _____
○ _____
○ _____
○ _____
○ _____
○ _____
○ _____
○ _____
○ _____
○ _____

TUE · NOVEMBER 30, 2021

_____
_____
_____
_____
_____
_____
_____
_____
_____
_____
_____
_____

○ _____
○ _____
○ _____
○ _____
○ _____
○ _____
○ _____
○ _____
○ _____
○ _____
○ _____

WED · DECEMBER 1, 2021

_____
_____
_____
_____
_____
_____
_____
_____
_____
_____
_____

○ _____
○ _____
○ _____
○ _____
○ _____
○ _____
○ _____
○ _____
○ _____
○ _____
○ _____

THU · DECEMBER 2, 2021

_____
_____
_____
_____
_____
_____
_____
_____
_____

- ○ _____
- ○ _____
- ○ _____
- ○ _____
- ○ _____
- ○ _____
- ○ _____
- ○ _____
- ○ _____
- ○ _____
- ○ _____

FRI · DECEMBER 3, 2021

_____
_____
_____
_____
_____
_____
_____
_____
_____

- ○ _____
- ○ _____
- ○ _____
- ○ _____
- ○ _____
- ○ _____
- ○ _____
- ○ _____
- ○ _____
- ○ _____
- ○ _____
- ○ _____

SAT · DECEMBER 4, 2021

_____
_____
_____
_____
_____
_____
_____
_____
_____

SUN · DECEMBER 5, 2021

_____
_____
_____
_____
_____
_____
_____
_____
_____

December 2021

SUNDAY	MONDAY	TUESDAY	WEDNESDAY
			1
5	6	7	8
12	13	14	15
19	20	21	22
26	27	28	29

KWANZAA

THURSDAY	FRIDAY	SATURDAY	NOTES
2	3	4	_____
			_____
			_____
9	10	11	_____
			_____
			_____
16	17	18	_____
			_____
			_____
23	24	25	_____
	CHRISTMAS EVE	CHRISTMAS DAY	_____
30	31		_____
	NEW YEAR'S EVE		_____

MON · DECEMBER 6, 2021

_____

- ○ _____
- ○ _____
- ○ _____
- ○ _____
- ○ _____
- ○ _____
- ○ _____
- ○ _____
- ○ _____
- ○ _____
- ○ _____

TUE · DECEMBER 7, 2021

_____

- ○ _____
- ○ _____
- ○ _____
- ○ _____
- ○ _____
- ○ _____
- ○ _____
- ○ _____
- ○ _____
- ○ _____
- ○ _____

WED · DECEMBER 8, 2021

_____

- ○ _____
- ○ _____
- ○ _____
- ○ _____
- ○ _____
- ○ _____
- ○ _____
- ○ _____
- ○ _____
- ○ _____
- ○ _____

THU · DECEMBER 9, 2021

_____

- ○ _____
- ○ _____
- ○ _____
- ○ _____
- ○ _____
- ○ _____
- ○ _____
- ○ _____
- ○ _____
- ○ _____
- ○ _____

FRI · DECEMBER 10, 2021

_____

- ○ _____
- ○ _____
- ○ _____
- ○ _____
- ○ _____
- ○ _____
- ○ _____
- ○ _____
- ○ _____
- ○ _____
- ○ _____

SAT · DECEMBER 11, 2021

SUN · DECEMBER 12, 2021

MON · DECEMBER 13, 2021

_____

- ○ _____
- ○ _____
- ○ _____
- ○ _____
- ○ _____
- ○ _____
- ○ _____
- ○ _____
- ○ _____
- ○ _____
- ○ _____

TUE · DECEMBER 14, 2021

_____

- ○ _____
- ○ _____
- ○ _____
- ○ _____
- ○ _____
- ○ _____
- ○ _____
- ○ _____
- ○ _____
- ○ _____
- ○ _____

WED · DECEMBER 15, 2021

_____

- ○ _____
- ○ _____
- ○ _____
- ○ _____
- ○ _____
- ○ _____
- ○ _____
- ○ _____
- ○ _____
- ○ _____
- ○ _____

THU · DECEMBER 16, 2021

- ○
- ○
- ○
- ○
- ○
- ○
- ○
- ○
- ○
- ○
- ○

FRI · DECEMBER 17, 2021

- ○
- ○
- ○
- ○
- ○
- ○
- ○
- ○
- ○
- ○
- ○

SAT · DECEMBER 18, 2021

SUN · DECEMBER 19, 2021

MON · DECEMBER 20, 2021

- ○ _____
- ○ _____
- ○ _____
- ○ _____
- ○ _____
- ○ _____
- ○ _____
- ○ _____
- ○ _____
- ○ _____
- ○ _____
- ○ _____

TUE · DECEMBER 21, 2021

- ○ _____
- ○ _____
- ○ _____
- ○ _____
- ○ _____
- ○ _____
- ○ _____
- ○ _____
- ○ _____
- ○ _____
- ○ _____

WED · DECEMBER 22, 2021

- ○ _____
- ○ _____
- ○ _____
- ○ _____
- ○ _____
- ○ _____
- ○ _____
- ○ _____
- ○ _____
- ○ _____
- ○ _____

THU · DECEMBER 23, 2021

- ○ _____
- ○ _____
- ○ _____
- ○ _____
- ○ _____
- ○ _____
- ○ _____
- ○ _____
- ○ _____
- ○ _____
- ○ _____

FRI · DECEMBER 24, 2021

- ○ _____
- ○ _____
- ○ _____
- ○ _____
- ○ _____
- ○ _____
- ○ _____
- ○ _____
- ○ _____
- ○ _____
- ○ _____

CHRISTMAS EVE

SAT · DECEMBER 25, 2021

CHRISTMAS DAY

SUN · DECEMBER 26, 2021

KWANZAA

MON · DECEMBER 27, 2021

_____

- ⃝ _____
- ⃝ _____
- ⃝ _____
- ⃝ _____
- ⃝ _____
- ⃝ _____
- ⃝ _____
- ⃝ _____
- ⃝ _____
- ⃝ _____
- ⃝ _____

TUE · DECEMBER 28, 2021

_____

- ⃝ _____
- ⃝ _____
- ⃝ _____
- ⃝ _____
- ⃝ _____
- ⃝ _____
- ⃝ _____
- ⃝ _____
- ⃝ _____
- ⃝ _____
- ⃝ _____

WED · DECEMBER 29, 2021

_____

- ⃝ _____
- ⃝ _____
- ⃝ _____
- ⃝ _____
- ⃝ _____
- ⃝ _____
- ⃝ _____
- ⃝ _____
- ⃝ _____
- ⃝ _____
- ⃝ _____

THU · DECEMBER 30, 2021

_____
_____
_____
_____
_____
_____
_____
_____
_____
_____
_____
_____

○ _____
○ _____
○ _____
○ _____
○ _____
○ _____
○ _____
○ _____
○ _____
○ _____
○ _____

FRI · DECEMBER 31, 2021

_____
_____
_____
_____
_____
_____
_____
_____
_____
_____
_____

NEW YEAR'S EVE

○ _____
○ _____
○ _____
○ _____
○ _____
○ _____
○ _____
○ _____
○ _____
○ _____
○ _____

SAT · JANUARY 1, 2022

_____
_____
_____
_____
_____
_____
_____
_____
_____

NEW YEAR'S DAY

SUN · JANUARY 2, 2022

_____
_____
_____
_____
_____
_____
_____
_____
_____
_____

Made in the USA
Monee, IL
24 May 2021